AJEDREZ
INICIACIÓN

CARLOS TRIBIÑO

LIBRO-HOBBY

Primera edición: octubre 2002

©2002, Carlos Tribiño Mamby
©2002, Libro-Hobby-Club, S.A.
C/ Virgen de África, 6, Bajo
28027 - Madrid, ESPAÑA
Tel.: +34 - 91 405 71 86
Fax: +34 - 91 405 71 87
e-mail: lhc@librohobbyclub.com
www.librohobbyclub.com

Ilustración:
  DROP Ilustración
  Equipo editorial

Diseño portada:
  Equipo editorial

I.S.B.N.: 84-9736-129-6

Printed in Spain
Impreso en España

Depósito legal: M-38.553-2002

l ajedrez es un juego, un juego divertido en el que la inteligencia y la destreza de dos jugadores se ponen a prueba.

La edad no es importante. Basta con saber las reglas y conocer las jugadas básicas.

Para aprender a jugar necesitaremos, además de un poco de interés, verdaderas ganas de divertirse pensando.

Este juego es un buen ejercicio mental y si lo practicamos con voluntad y empeño, comprobaremos que cuanto más aprendamos y más juguemos, más nos gustará.

Nos serviremos de estrategias, tácticas y de diversos tipos de jugadas para conseguir los objetivos que busquemos, entre éstos la victoria.

La valentía para arriesgar y sobre todo la precaución, serán algunos de los factores que decidan cuál de los equipos ganará y cuál debe aceptar la derrota.

Con la ayuda de este libro, un tablero y sus piezas, y muchas ganas de divertirse pensando, la partida puede dar comienzo.

¿QUIERES CONOCER MI HISTORIA?

a verdad, estoy un poco harto de lo que se dice acerca de mi nacimiento... Mientras unos aseguran que vine al mundo en Persia y otros que soy chino o árabe, no falta quien sitúa mi cuna en India, en las tierras del Ganges, hace más de 2.500 años. ¡A ver si se ponen de acuerdo, porque mi origen parece un misterio!

Lo único cierto es que soy bastante viejo y gracias a esto he conocido gentes y países de lo más variado, y si a unos he ofrecido todo lo que han podido descubrir de mí, ellos a su vez me han venido perfeccionando... hasta presentarme a vosotros tal y como soy ahora.

Con esto quiero decir que no fui creado por un sólo *inventor*, sino que más bien soy fruto de la combinación de juegos más sencillos y que pertenecen a diferentes culturas.

Si hay que hacer caso a la leyenda referida por un tal Banda, pues soy... hindú. Así consta en un documento escrito por este poeta, nada menos que en el siglo VII antes de Cristo. Como veo que te interesa mi historia, voy a contártela.

El capricho del maestro Sissa

Refiere Banda que Sissa, maestro de un príncipe indio, inventó el Ajedrez para enseñar al Rey Sriharsha –que debía ser bastante orgulloso y prepotente– que sin el apoyo de sus súbditos, Su Majestad no valdría nada. Sriharsha, después de varias partidas del nuevo y apasionante juego, acabó comprendiendo lo que el maestro quería decir y aprendió la lección, volviéndose más humilde y honrado con las gentes de su reino. Entonces quiso agradecer los buenos consejos de Sissa, quien se retiró a pensar de qué modo podría cobrarse la lección y al mismo tiempo hacer que Su Majestad no la olvidara.

Así, al día siguiente se presentó ante el Rey Sriharsha y frente al tablero de ajedrez en que ambos habían practicado el juego, pidió como recompensa un grano de trigo por la primera casilla, dos por la segunda, cuatro por la tercera...

–¿Y eso es todo? –preguntó el Soberano riendo a carcajadas.

–Ocho por la cuarta, dieciséis por la quinta, treinta y dos por la sexta –continuó el maestro Sissa, señalando con su bastón las casillas que iba nombrando–, y así multiplicando siempre por dos hasta llegar a la última, la número sesenta y cuatro.

El Rey dio orden a su Superintendente que obedeciera los deseos del viejo Sissa, cuya modesta petición le parecía ridícula. Pero cuál sería su sorpresa al ver que para cubrir la última casilla hacían falta 18.446.744.073.709.551.616 granos de trigo… ¡Cerca de 19 trillones! (Recordemos que un trillón son un millón de billones.) ¡Una cantidad que posiblemente no se reuniría ni con todas las cosechas del mundo de entonces!

Cuenta el poeta Banda que a partir de entonces el Rey Sriharsha se hizo más sabio y prudente, convirtiéndose en un Príncipe de Paz porque durante su mandato no hubo más disputas que las que se daban entre las abejas por el néctar de las flores y las de los simulados ejércitos que se enfrentaban a diario en las sesenta y cuatro casillas del gran tablero de ajedrez que el Soberano y sus invitados movían en el transcurso del juego.

Y así nació este gran torneo

¿Comprendéis ahora por qué se me representa como un espectáculo, una justa, un gran torneo de reyes y damas, torres y caballos, jinetes y soldados de infantería? Fue allí, en la corte del Rey Sriharsha, donde a falta de guerras que nadie deseaba, los invitados del Monarca diseñaron cada una de las piezas del juego como miembros de un ejército imaginario, de ropajes vistosos y relucientes atributos, cuya situación estratégica en el tablero habría de servir para la más hermosa de las contiendas, pues era la inteligencia la única arma, el triunfo sobre el rival, la ganancia y… todo ello sin derramamiento de sangre. ¡Qué gran invento, amigos!

Bueno, sigamos con mi historia.

Cuando los persas llegaron a India –allá por el siglo VI de nuestra Era– y me adoptaron, con el traslado sufrí algunos cambios. En lugar de ser cuatro los jugadores de un principio y los dados los responsables de los movimientos de las piezas, los contendientes se redujeron a la mitad –dos– y en lugar de ser el azar quien movía las piezas, éstas obedecerían una estrategia más elaborada. Fue entonces cuando la Reina o Dama adquirió su valor sobresaliente.

Pero ¿acaso creéis que ahí acabó todo? Cuando los árabes se hicieron dueños de Persia, yo formé parte del botín y fue tanto el entusiasmo de los conquistadores, que no dudaron en someterme a mil diabluras matemáticas, convirtiéndome en símbolo cultural de ilustres pensadores que incluso escribieron tratados y elaboraron teorías científicas con enrevesados problemas y clarividentes soluciones.

¡Puf, en buenas manos había caído! ¿Queréis creer que fue ahí donde nacieron las competiciones, los profesionales del juego y las apuestas sobre quién ganaría a quién? Y es que para entonces, "jugar al ajedrez" requería tanto una atenta y lúcida comprensión de las posiciones de cada pieza en el tablero, como de la creatividad, la astucia y la imaginación para lograr una inteligente anticipación de cada movimiento y así obtener la victoria.

De turista por Europa

Así es, yo fui uno de los primeros en hacer eso que se llama turismo. De hecho, ya lo practiqué antes de mi primera visita a Europa, en la primera década del siglo XI, cuando llegué a Occidente por la Península Ibérica. Una vez en España –corría el año 1283–, el Rey Alfonso X *el Sabio* realizó el primer manuscrito europeo dedicado a la teoría del juego, en un volumen que se llamó *Libro de ajedrez, dados y tablas*. Este Rey Sabio ordenó, además, que se impartieran por obligación enseñanzas del juego de ajedrez a los distinguidos caballeros de su reino, porque no sólo representaba un excelente ejercicio de inteligencia, sino que también era útil para alcanzar buena formación cultural y moral.

Con estos ropajes, pronto fui conocido en Europa. En todas las Cortes se hablaba de mí y me estudiaban con gran empeño e ilusión en castillos y palacios, pues por entonces sólo podían jugar nobles y aristócratas, estando vedado el juego al pueblo llano. ¡Vaya injusticia! Pero debéis saber que esto pasaba también con los libros, que estaban prohibidos a las gentes de a pie...

Digo lo de los libros, porque con la invención de la imprenta, apareció impreso el primer volumen dedicado a la enseñanza del juego, en 1472. Gracias a Gutenberg, por fin pudieron divulgarse correctamente las reglas del juego y esto sirvió al menos para que todos los participantes obedecieran el mismo tipo de normas, lo que hasta entonces no estaba demasiado claro y en cada lugar se jugaba de forma distinta.

Pronto el ajedrez se convirtió en el juego más popular del Viejo Continente, de donde salió un día con los navegantes españoles camino de América, a principios del siglo XVI. Y como las primeras imprentas del Nuevo Continente fueron llevadas por los españoles, éstos contribuyeron eficazmente a que se me conociera con prontitud y gran precisión en aquellas latitudes.

' Con el paso del tiempo, en 1851 se creó el Campeonato Internacional de Ajedrez en la ciudad de Londres, un acontecimiento en el que desde entonces toman parte los más grandes jugadores de todos los países. Y si un día fui botín de indios, persas, árabes y españoles, hoy me honro en ser dominado por los grandes maestros rusos, pues por algo soy un auténtico ciudadano del mundo.

A estas alturas del siglo XXI, no hay prácticamente lugar en el planeta donde falte un tablero de ajedrez, sus piezas clásicas y dos jugadores dispuestos a batirse con las únicas armas admitidas en esta contienda: la inteligencia y el entusiasmo.

¿Te gustaría aprender y ser uno de los "grandes"?

ASÍ ES EL JUEGO

El ajedrez se basa en el enfrentamiento de **dos equipos** dirigidos cada uno por un jugador que, con **inteligencia** y **destreza** para mover sus piezas, deberá inmovilizar al **Rey** del equipo contrario.

El primer equipo que lo logre será el **vencedor** y el juego habrá terminado.

Cada jugador dirige un equipo de **igual número** de piezas pero de distinto color. Éste será escogido al azar y el que gane las piezas **blancas**, comenzará a mover primero.

Al principio de la partida cada jugador tendrá en su equipo un total de **16 piezas**, que con el desarrollo del juego y mediante la captura, irán **disminuyendo**.

La **captura** se llevará a cabo cuando una de las piezas ocupe el **escaque** o casilla en donde se encuentra una pieza del contrario, obligándola así a **abandonar** el tablero.

De esta forma uno de los dos equipos se irá debilitando más que el otro y será entonces el mejor momento para inmovilizar al Rey, logrando así la victoria.

9

EL TABLERO
NUESTRO CAMPO DE JUEGO

El **tablero** de ajedrez es un cuadri-látero conformado por **64 cuadros** que se denominan **escaques** o **casillas**.

Los **escaques** se hallan situados de forma alternada: **32** escaques son de color **negro** y **32** de color **blanco**.

FILAS Y COLUMNAS

El tablero se divide en filas y columnas:

Las **filas** son conjuntos de escaques que siguen una **línea horizontal**.

Las **columnas** son conjuntos de escaques que siguen una **línea vertical**.

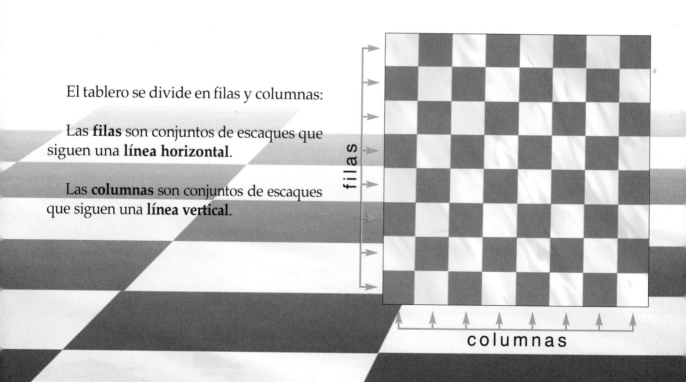

filas

columnas

¿CÓMO «FUNCIONA» EL TABLERO?

Para saber en qué punto del tablero se **encuentran** las piezas y para **anotar** las jugadas de la partida, utilizaremos un **código** especial.

Las **filas** se nombran con los **números** del 1 al 8.

Las **columnas** se nombran con las 8 primeras **letras** del alfabeto (a – h).

Los **escaques** se nombran señalando primero la **letra** que corresponde a la **columna** y luego el **número** que corresponde a la fila.

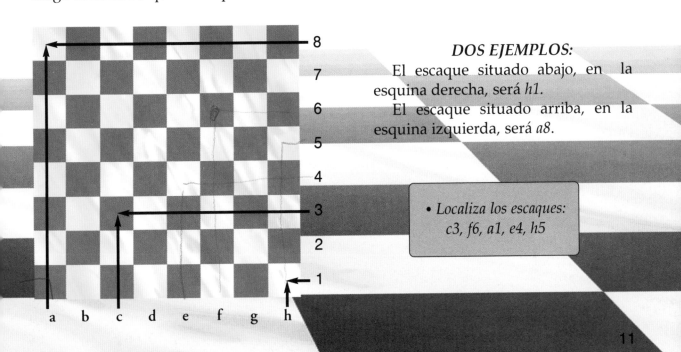

DOS EJEMPLOS:

El escaque situado abajo, en la esquina derecha, será *h1*.

El escaque situado arriba, en la esquina izquierda, será *a8*.

• *Localiza los escaques: c3, f6, a1, e4, h5*

POSICIÓN CORRECTA
DEL TABLERO

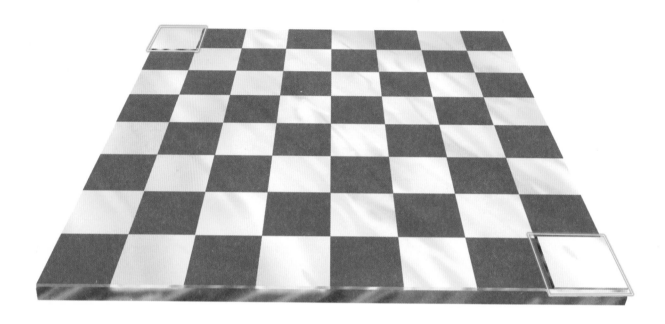

Antes de comenzar la partida debemos **colocar** el tablero de forma que cada jugador tenga **un escaque blanco** en la **esquina inferior derecha**.

LAS PIEZAS
Y
LOS EQUIPOS

16 BLANCAS
CONTRA
16 NEGRAS

EL REY

Es la pieza **más importante** del equipo.

Cada jugador posee **uno**.

El objetivo del juego es **proteger nuestro Rey** y tratar de **inmovilizar** al del **rival**.

El Rey se reconoce por una pequeña **cruz** que lleva en la corona.

Su posición de partida está en la **columna e**.

LA REINA

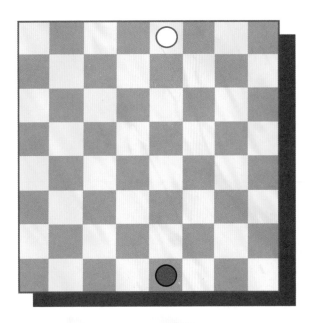

Es la pieza **más poderosa** del juego y **segunda** en importancia.

Cada jugador cuenta con **una** y la reconocerás por su **corona**.

La posición **inicial** de la Reina está en el escaque de su mismo **color** y al lado del Rey: **columna d.**

LA TORRE

Reconocerás esta pieza porque **imita** en su forma a las **murallas** que aún pueden verse en las esquinas de los **castillos**.

En el juego hay **dos** Torres **negras** y **dos blancas**.

Se sitúan una en cada **esquina** del tablero: **columnas a – h.**

Las Torres son las piezas **más poderosas** después de la Reina.

EL CABALLO

Es el **tercero** en poderío.

Hay **dos** Caballos **negros** y **dos blancos**.

Se sitúan **al lado** de las Torres y ocupan las **columnas b-g**.

Los Caballos son las **únicas** piezas que tienen la facultad de **saltar** sobre cualquier otra pieza.

EL ALFIL

Lo reconocerás porque su **forma** imita a la de un **sombrero** (mitra) de obispo.

Su **poderío** se compara al del Caballo.

Hay **dos blancos** y **dos negros**.

Los Alfiles se colocan justo **al lado** de la Reina y del Rey: **columnas c - f**.

LOS PEONES

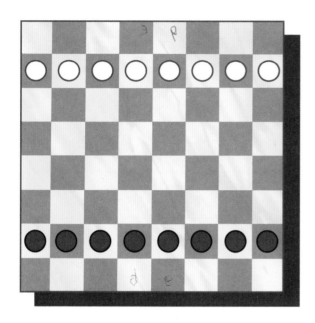

Los **Peones** son las piezas más **pequeñas** del equipo.

Su poderío es **inferior** cuando se encuentran **solos** y sin apoyo.

Sin embargo son **numerosos** y cuando permanecen unidos forman líneas de **defensa** muy eficaces y no hay quien logre capturarlos.

Hay **ocho blancos** y **ocho negros**.

Los Peones se sitúan en la **fila 2** si son blancos y en la **fila 7** si son negros.

EL PEÓN

Lento pero Seguro

«¡En Reina me podré convertir!»

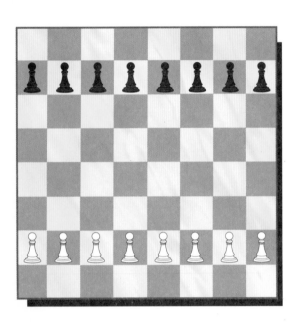

Cada uno de los equipos cuenta con **ocho Peones** que se colocarán inicialmente en una **línea defensiva** delante de las piezas de su equipo.

Sus **movimientos** son limitados y **lentos**, pero si se utilizan con **inteligencia** serán muy eficaces obstaculizando el **ataque** del adversario.

> Su importancia también reside en que al llegar a uno de los escaques de la primera fila del adversario, podrá realizar la «Coronación». Esta jugada nos permitirá sustituir el Peón por una de las piezas capturadas que elijamos.

¿Cómo se mueve el PEÓN?

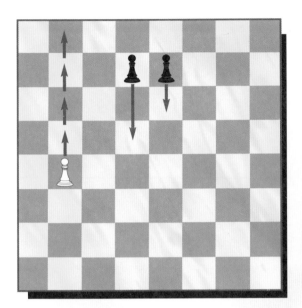

Los Peones solamente pueden moverse **hacia adelante** en línea recta por la columna donde cada uno esté situado y en ninguna ocasión podrán **retroceder**.

En su **primer** movimiento avanzan **uno** o **dos** escaques como máximo.

Después de esta primera jugada **sólo** podrán moverse de **escaque en escaque** cada vez.

¿Cómo captura el PEÓN?

Como sabemos el Peón **avanza** en línea recta, pero su forma de captura le permite moverse en **diagonal**.

El Peón sólo hará la **captura** cuando la pieza contraria se encuentre **delante** de él y en dirección **diagonal**: entonces ocupará su escaque, obligándola a **salir** del juego.

Cuando el Peón captura, **cambia de columna** y si no se le presenta otra captura, seguirá **avanzando** en línea recta.

El Peón **no puede** capturar una pieza que se encuentre en su **misma** columna.

UNA VARIANTE: CAPTURA AL PASO

Esta captura se realiza cuando un Peón avanza, en su primer movimiento, **dos escaques** para evitar ser capturado.

Entonces, el Peón adversario, **avanza** un escaque en dirección **diagonal**, produciéndose la captura al paso.

El Peón Negro avanza dos escaques para evitar ser capturado.

El Peón Negro ha sido capturado al paso.

EJERCICIO PRÁCTICO 1

- ¿A qué piezas pueden capturar los Peones blancos?
- ¿Y los negros? (Véase pág. 93)

¿Cómo se hace la coronación?

El Peón Negro ha cruzado el tablero y se coloca en la fila 1. A continuación debe ser sustituido por la pieza que se desee. En este caso, la Reina, que reemplaza al Peón y entra a jugar en su lugar.

Si **uno** de los Peones, tras cruzar el tablero a lo largo de las columnas, se sitúa en uno de los escaques de la **primera fila** del contrario, se *coronará*.

Entonces podremos sustituirlo por **cualquier pieza** de las que se encuentren **capturadas**.

Gracias a la **coronación** podremos **recuperar** la Reina, las Torres, los Caballos o los Alfiles...

La única pieza que **no podemos** pedir es el **Rey**.

Ataque y Defensa con el Peón

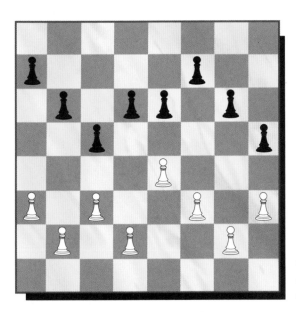

Observemos que los Peones se colocan en líneas de defensa muy sólidas, puesto que se protegen apoyándose unos a otros.

Cuando los Peones juegan **en equipo** son más efectivos puesto que pueden **protegerse**.

A su vez estarán montando **líneas defensivas** y bloqueando así el **avance** de piezas contrarias.

El Peón resultará de poca efectividad y será vulnerable si se encuentra aislado y sin protección o si está doblado, es decir: en la misma columna de uno de su mismo equipo.

23

EL ALFIL

EL FANTASMA QUE NO CAMBIA DE CAMINO
«Por diagonales voy, por diagonales vengo»

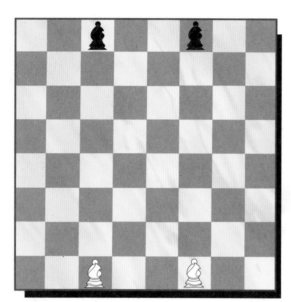

Cada uno de los jugadores posee **dos Alfiles**.

Su movimiento será siempre de forma **diagonal** y por caminos de escaques de un **sólo color**.

El Alfil no puede saltar pero su poderío se compara al del Caballo debido a que su movimiento diagonal le permite también atravesar los muros y barreras que forman las líneas defensivas del equipo rival.

¿CÓMO SE MUEVE EL ALFIL?

Las líneas **diagonales** son sus caminos.

Así que si su posición de salida es desde un **escaque blanco**, se moverá únicamente por **escaques blancos**, y si su partida es desde un **escaque negro**, se moverá por **escaques negros**.

El Alfil podrá **avanzar o retroceder**, y esto le da la posibilidad de moverse en **cuatro** direcciones.

Si el Alfil se sitúa en el **centro** del tablero controlará **14 escaques.**

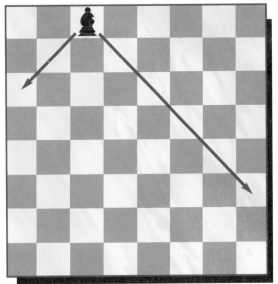

El Alfil se moverá por el número de escaques **vacíos** que encuentre, hasta que se interponga **otra** pieza en su camino.

Si esa pieza es de su mismo equipo, entonces tiene que **detenerse**; pero si la pieza es del equipo contrario, podrá **capturarla** y ocupará su escaque, obligándola a **abandonar** el tablero.

Debido a que el Alfil se mueve por escaques de igual color, sus capturas se limitarán a piezas que se encuentren en escaques blancos, si sus caminos son blancos, y a piezas que se encuentren en escaques negros, si sus caminos son negros .

El Caballo Blanco se ha colocado en uno de los caminos diagonales del Alfil Negro.

El Alfil se mueve en dirección al Caballo y realiza la captura.

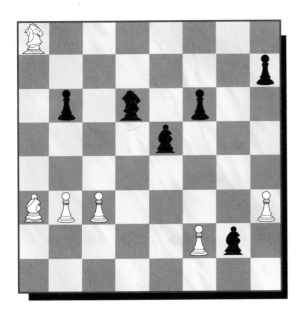

EJERCICIO PRÁCTICO 2

• ¿A qué piezas podrán capturar los Alfiles negros?

• ¿Y los blancos? (Véase pág. 93)

ATAQUE Y DEFENSA CON EL ALFIL

El Alfil es una pieza de **ataque**, puesto que su tipo de movimiento nos permite **atravesar** las líneas defensivas del equipo **contrario**.

Su campo de **acción**, lo mismo que la Torre, es de **largo alcance**, así que para tener una mayor efectividad sus caminos deben mantenerse **despejados**.

Cuando los Alfiles se mantienen en posiciones tanto de **defensa** como de **ataque** cubrirán, cada uno, una **línea** de escaques de diferente color.

Pero si **perdemos** uno de los dos, el control del tablero **disminuye** notablemente.

Observemos cómo cada uno de los caminos diagonales controlados por los Alfiles blancos evitan el avance de cualquier pieza negra y plantean una posición defensiva bastante efectiva.

EL CABALLO
CORCEL DE BUENA PLANTA

«Saltando en *L* defenderé,
y con ataques sorpresa capturaré»

El Caballo es la única pieza del tablero que **avanza** por medio de **saltos**.

Al moverse podrá pasar por **encima** de cualquiera de las piezas sin importar su tamaño, su **categoría** o su color.

El Caballo es la pieza que por medio de sus saltos nos servirá para **atravesar** las líneas defensivas y que al **principio** de la partida, después de los peones, será la pieza que primero **atacará**.

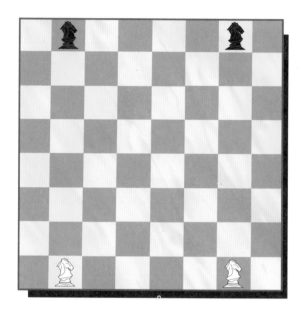

Dado que sus saltos se pueden hacer en varias direcciones, su forma de ataque y defensa nos dará la oportunidad de dar grandes sorpresas al rival.

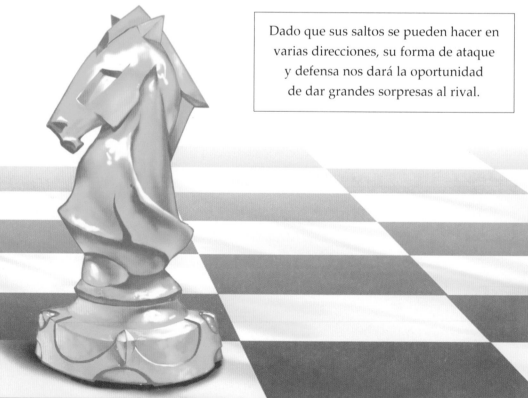

¿CÓMO SE MUEVE EL CABALLO?

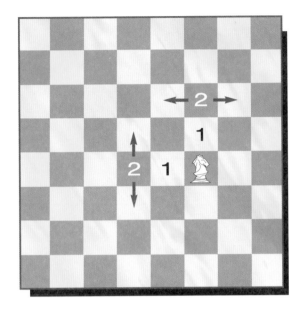

El **salto** del Caballo es en forma de "**L**" y se divide en dos partes:

Primero saltará **dos escaques** en línea recta a lo largo de las **columnas** o de las **filas**.

Segundo, **un escaque** hacia la **derecha** o hacia la **izquierda** o, según sea el caso, hacia **arriba** o hacia **abajo**.

Cuando el movimiento del Caballo parte de un escaque blanco, su llegada será a un escaque de color negro y viceversa. Pero de ninguna forma llegará a un escaque del mismo color del que ha partido.

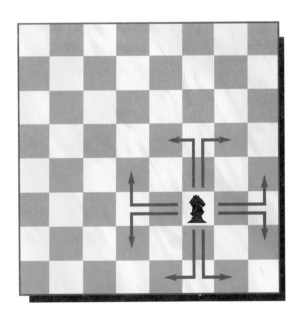

Para aprender fácilmente su **movimiento** lo comparamos con la forma de la letra "**L**" y como puedes ver en el tablero de arriba, lo colocamos en varias posiciones.

El Caballo Blanco ataca al Alfil.

El Caballo captura, igual que todas las piezas, **ocupando** el escaque de la pieza rival y obligándola **a abandonar** el tablero.

Pero la **diferencia** está en que no tendrá que detenerse si encuentra otra pieza en su camino, sino que la **saltará** y hará la captura.

El Caballo salta al Peón y captura al Alfil.

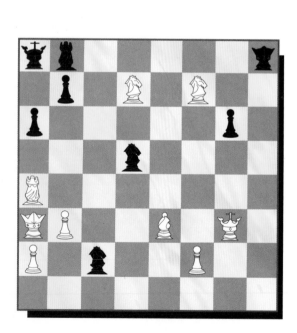

EJERCICIO PRÁCTICO 3

- ¿Qué piezas pueden capturar los Caballos blancos?
- ¿Y los negros?   (Véase pág. 93)

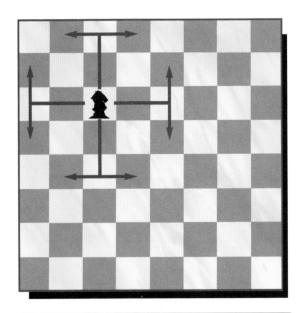

El Caballo realiza acciones de **ataque** y **defensa** a la vez en **ocho** escaques diferentes.

Esta acción dependerá de su **colocación**.

El Caballo será más efectivo si se encuentra en el **centro** del tablero, debido a que su **campo** de acción será mayor; pero situado en los **bordes** o en las **esquinas** del tablero, su poderío disminuye.

EJERCICIO PRÁCTICO 4

• Si el Caballo se encuentra en un escaque blanco, estará controlando ocho escaques negros...

• ¿Y si se encuentra en un escaque negro?

(Véase pág. 93)

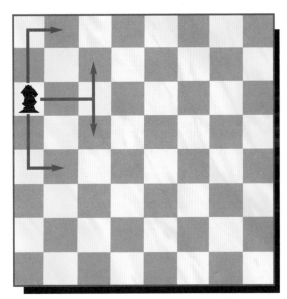

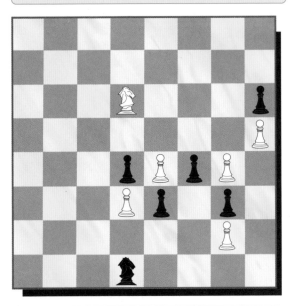

EJERCICIO PRÁCTICO 5

• ¿A qué escaque debe saltar el Caballo blanco para que ataque a más de una pieza a la vez?

• ¿Y el Caballo negro? ¿En cuál atacará sólo una pieza?

(Véase pág. 93)

Utiliza hábilmente tu Caballo y lograrás dar ataques por sorpresa a más de dos piezas a la vez, obligando al equipo contrario a perder una de sus piezas.

LA TORRE
Una Muralla que se Mueve
«Mi altura me permite ver el Horizonte»

Las Torres, **después** de la Reina, son las piezas de más **poder** en el juego.

Por esta razón debemos **proteger** a las nuestras y tratar de **capturar** a las del rival. A cada uno de los equipos le corresponderán **dos Torres**.

¿CÓMO SE MUEVEN LAS TORRES?

La Torre puede moverse sobre el tablero en una de estas **dos** formas:

• **Horizontal**, es decir a lo largo de las filas.
• **Vertical**, es decir a lo largo de las columnas.

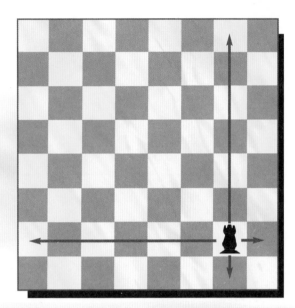

¿CÓMO CAPTURA LA TORRE?

Lo mismo que la Reina y el Alfil, la Torre podrá **avanzar** o **retroceder** el número de escaques que deseemos si su camino se encuentra **libre**.

Pero si en el camino nos encontramos con una pieza del equipo **contrario**, debemos entonces **decidir** entre:

a) Detener el avance de la Torre.

b) Capturar la pieza y ocupar su escaque.

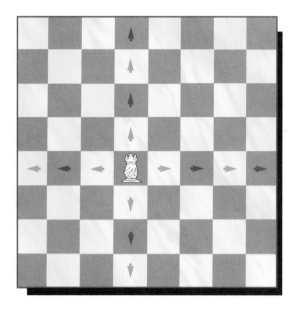

Las torres son nuestras piezas de **apoyo** y **defensa** en el comienzo de la partida.

Como sabemos se sitúan en la **primera fila** si son **blancas** y en la **octava** si son **negras**. Por esto **protegerán** desde sus posiciones a las piezas que primero avancen.

> En cualquier casilla del tablero en que se encuentre, la Torre controla 14 casillas.

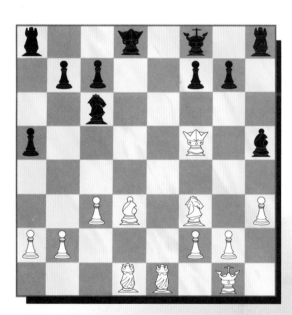

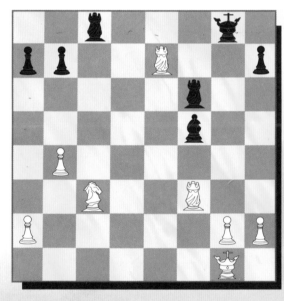

Cuando la partida esté avanzada y se hayan **eliminado** algunas piezas del tablero, nuestras Torres tendrán **caminos libres** y podrán ahora colaborar en el ataque.

EJERCICIO PRÁCTICO 6

- Si jugamos con las negras, ¿A qué piezas defienden nuestras Torres?
- ¿Y si jugamos con las blancas?

(Véase pág. 93)

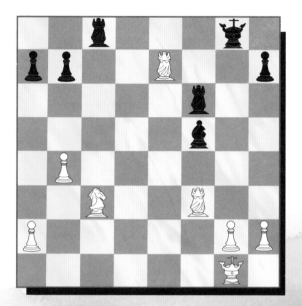

EJERCICIO PRÁCTICO 7
• ¿A qué piezas atacan las Torres blancas?
• ¿Y las Torres negras?

(Véase pág. 93)

Procura situar tus Torres en casillas donde las filas y las columnas se encuentren despejadas, así obtendrás de tus Torres una mayor efectividad tanto en el ataque como en la defensa.

LA REINA
Dama de la Destreza

«¡No dejes que me capturen!»

La Reina o Dama es la pieza **más fuerte** y de mayor **habilidad** del equipo.

Debemos aprovechar sus cualidades con **precaución**, puesto que si es capturada es posible que **perdamos** la partida.

¿CÓMO SE MUEVE LA REINA?

La Reina es la pieza del equipo **que más escaques controla** en el tablero.

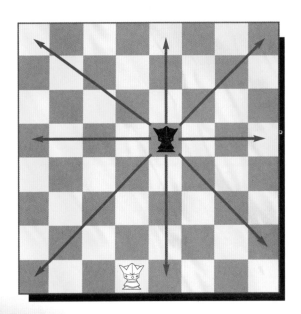

Sus movimientos pueden ser de **avance** o **retroceso**:

- **Horizontales**, es decir a lo largo de las filas.

- **Verticales**, es decir a lo largo de las columnas.

- **Diagonales**, es decir por caminos de un **sólo color** y en una línea **diagonal**.

¿Cómo captura la **REINA**?

La Reina Blanca ataca en línea diagonal al Caballo.

Igual que todas las piezas, la Reina **captura** a la pieza rival ocupando el escaque en donde ésta se encuentre y obligándola **a abandonar** el tablero.

Debemos tener en cuenta que la pieza contraria **no esté protegida**, puesto que **perderíamos** nuestra pieza más fuerte.

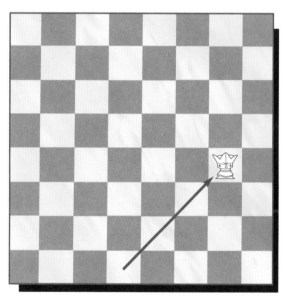

La Reina lleva a cabo la captura.

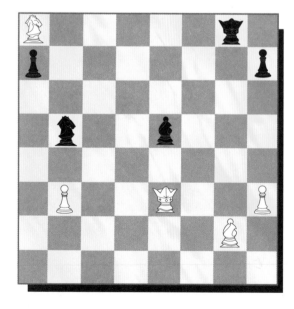

EJERCICIO PRÁCTICO 8

• ¿Qué piezas podrá capturar la Reina Negra sin ser capturada?

(Véase pág. 93)

ATAQUE Y DEFENSA CON LA REINA

Para que la Reina tenga **mayor posibilidad** de ataque…

- Mantendremos **despejado** su camino.

- Trataremos de colocarla hacia el **centro** del tablero, así **controlará** más escaques.

- Evitaremos las líneas **de ataque** del rival.

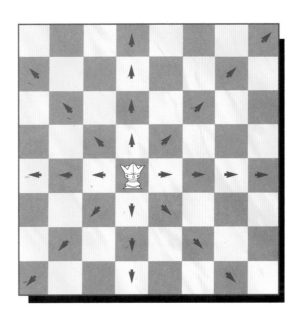

Cuando la Reina se encuentra en el centro del tablero controla 27 escaques, casi la mitad del tablero.

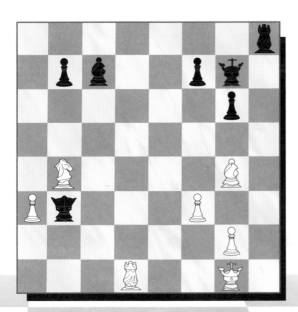

EJERCICIO PRÁCTICO 9

- ¿A qué piezas ataca la Reina Negra?

(Véase pág. 94)

Para la **defensa** será necesario que coloquemos a la Reina en puntos **estratégicos** desde los cuales preste apoyo y **proteja** a las piezas que creamos **amenazadas**.

Debido a su amplio campo de acción, si **situamos** bien a la Reina estaremos entonces **atacando y defendiendo** a la vez.

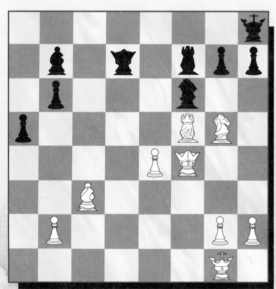

> En el principio de la partida a veces será mejor mantener la Reina detrás de las piezas que salgan a atacar, así las apoyará sin necesidad de arriesgarse.

EJERCICIO PRÁCTICO 10

- Si jugamos con las blancas, ¿qué piezas defiende la Reina?
- ¿Y si jugamos con las negras?

(Véase pág. 94)

EL REY

Un Soberano Prudente y Precavido

«Desde el trono dirijo mis huestes,
y si me proteges ¡ganarás!»

El Rey es la pieza **más importante** del equipo, pues si lo inmovilizan la partida habrá **terminado** y el equipo será **vencido**.

Su movimiento es **lento** y por tanto es muy difícil que **escape** a un ataque, así que siempre debemos mantenerlo **protegido**.

Nuestro objetivo será entonces **inmovilizar** al Rey del equipo **contrario** sin descuidar el nuestro.

¿CÓMO SE MUEVE EL REY?

Se puede mover en **todas** direcciones, pero solamente dará **un paso** cada vez.

Es decir, que desde el escaque en donde se encuentre, sólo se **desplazará** a otro de los **ocho** situados a su alrededor.

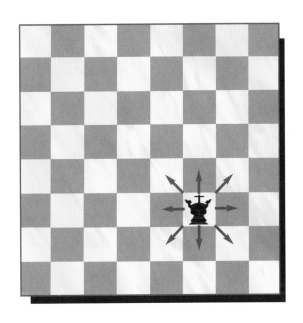

¡ATENCIÓN!

Si el Rey es colocado en uno de los bordes o esquinas del tablero, perderá movilidad y su campo de acción se limitará a cinco o tres casillas respectivamente.

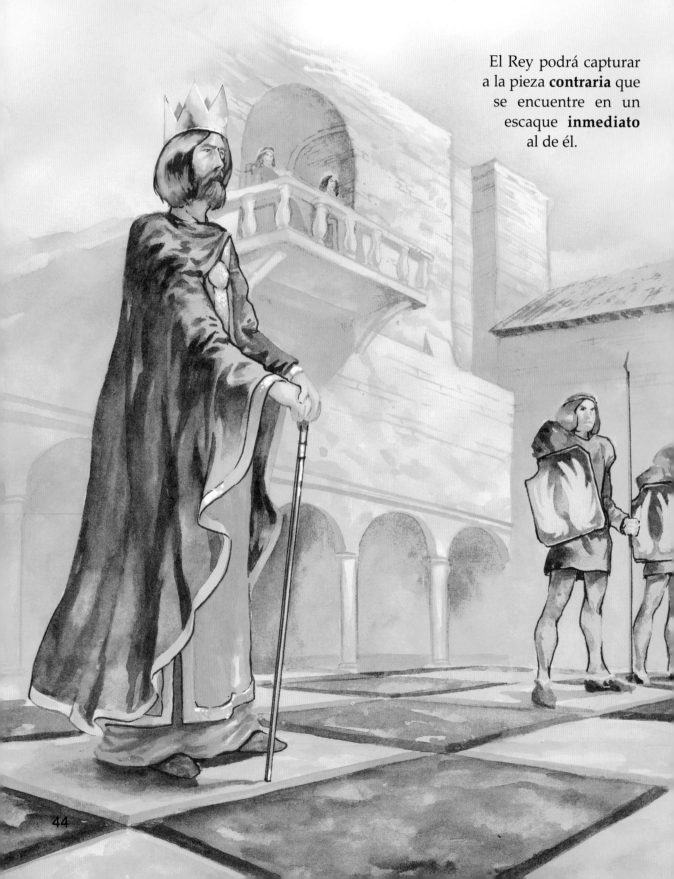

El Rey podrá capturar a la pieza **contraria** que se encuentre en un escaque **inmediato** al de él.

La captura no se podrá realizar si la pieza atacada se encuentra en una posición protegida, es decir controlada por otra de su mismo equipo.
El Rey es la única pieza del tablero que no puede permanecer atacada.

El Rey ataca a la Torre Blanca.

El Rey avanza hacia el escaque ocupado por la Torre y realiza la captura.

EJERCICIO PRÁCTICO 11

• ¿Qué piezas podrá capturar el Rey Negro?

(Véase pág. 94)

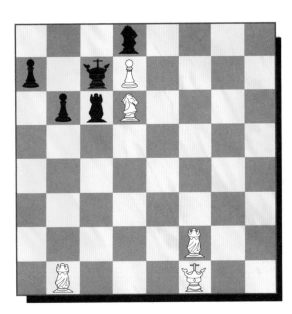

ATAQUE Y DEFENSA CON EL REY

Por su tipo de movimiento el Rey podrá dar **sorpresas** en el ataque, pero no es conveniente utilizarlo si se le pone en peligro.

Será efectivo para **apoyar** y **dar protección**, cuando las piezas de su equipo se encuentren en los escaques **cercanos** a los de él.

EJERCICIO PRÁCTICO 12

• ¿A qué piezas apoya el Rey Blanco?

(Véase pág. 94)

El Rey Negro se halla amenazado por la Reina Blanca. Está en jaque.

El Rey es la única pieza del equipo que no podrá permanecer en una posición atacada por piezas rivales. Si esta situación ocurre, debemos por obligación neutralizar el ataque o bien mover el Rey para que se libre del peligro.

El **Jaque** es la situación de juego en que el **Rey** esta siendo **atacado** directamente por una de las piezas del equipo **contrario**.

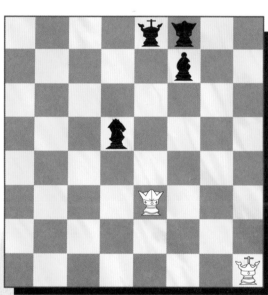

Cuando esto suceda, el jugador del equipo que **ataca** con una de sus piezas al Rey, deberá **avisar** a su rival el ataque provocado diciendo que **su Rey** está en Jaque o pronunciando la frase **Jaque al Rey.**

El jugador que posee el **Rey atacado** o en posición de **Jaque,** tendrá que tomar una de las tres opciones siguientes:

1. Capturar la pieza que realiza el ataque.

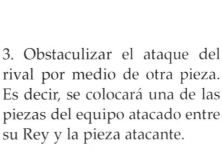

2. Mover el Rey, de forma que salga de la línea o del escaque atacado.

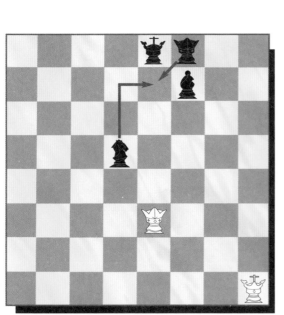

3. Obstaculizar el ataque del rival por medio de otra pieza. Es decir, se colocará una de las piezas del equipo atacado entre su Rey y la pieza atacante.

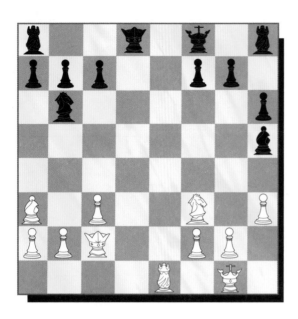

EJERCICIO PRÁCTICO 13

• ¿Qué opciones tiene el Rey en este Jaque?

(Véase pág. 94)

Si nuestro Rey es el que sufre el ataque, debemos procurar **alejarlo** de las piezas contrarias, aunque tendremos siempre en cuenta **no reducir** su campo de acción puesto que será **más vulnerable** a los ataques y estará en una posición apta para ser **inmovilizado**.

Pero si nuestro equipo es el que **ataca** al Rey del rival, buscaremos **cerrarle el paso** y reducir cada vez más su **campo de acción**.

La Torre Negra da jaque al Rey Blanco. El Rey sólo podrá evitar la amenaza si avanza una casilla hacia adelante. Si buscara refugio en la esquina del tablero estaría perdido. En casos como éste, el Rey no debe encerrarse, sino ampliar su campo de acción, buscar salidas.

¿QUÉ ES EL JAQUE MATE?

EL REY HA SIDO INMOVILIZADO Y LA PARTIDA FINALIZA

El **Jaque Mate** significará el final de la partida puesto que el **Rey** ha sido **inmovilizado** y por esto su equipo ha sido **derrotado**.

Se dará el Jaque Mate cuando se **cumplan** las siguientes condiciones:

1. Cuando el Rey esté siendo atacado por una pieza rival.

2. Cuando el Rey esté inmovilizado porque no tiene escaques vacíos o libres de ataques para poder moverse y evitar la ofensiva.

3. Cuando la pieza que realice el ataque no pueda ser capturada.

4. Cuando no sea posible obstaculizar la línea de ataque de la pieza contraria.

Tendremos muy en cuenta **esas cuatro condiciones** tanto **para evitar** que sea nuestro Rey el vencido, como **para realizar** nosotros el Jaque Mate y así obtener la **victoria**.

EJERCICIO PRÁCTICO 14
- ¿En cuál de los dos tableros se puede hacer Jaque Mate con un movimiento?   (Véase pág. 94)

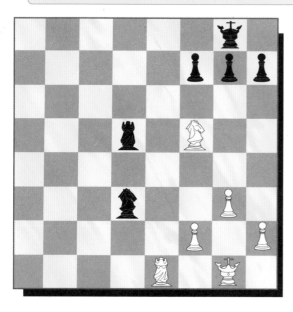

El Enroque es una **jugada** básicamente **defensiva**.

El objetivo es **proteger** al Rey del ataque rival mediante un **movimiento** que implica a dos piezas: el **Rey** y la **Torre**.

El Enroque es la **única** jugada que permite el movimiento de **dos piezas** a la vez, admitiendo además la **salida** de la Torre hacia una posición de **ataque**.

El Enroque puede ser **corto** o **largo** y se lleva a cabo de la siguiente forma:

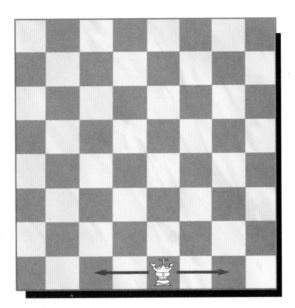

1. El Rey se moverá dos escaques a la derecha si el Enroque es corto o dos escaques a la izquierda si es largo.

2. Si el Enroque es corto, la Torre de la esquina derecha se sitúa en el escaque inmediato del lado izquierdo del Rey.

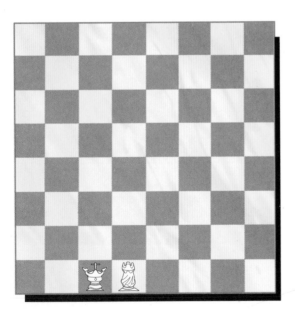

3. Si el Enroque es largo, la Torre de la esquina izquierda se sitúa en el escaque inmediato del lado derecho del Rey.

NO OLVIDES QUE...

Hay tres requisitos que se deben cumplir para poder Enrocar:

1. El Rey y la Torre no se han movido de su escaque durante la partida.

2. No debe haber piezas de por medio entre el Rey y la Torre.

3. El Rey no debe estar en Jaque y no podrá quedar en Jaque después de realizado el Enroque.

> Con el Enroque se despejará el camino para las Torres permitiendo su salida y logrando una de las posiciones más eficaces de ataque.

El Enroque también se puede convertir en una **trampa** para el Rey, así que se deben tomar algunas **precauciones** para no caer en ella.

Observemos cómo el Rey **puede** ser atacado e inmovilizado...

...será entonces necesario **adelantarse** al ataque y abrir el campo de acción del Rey o tener **protegidos** los escaques y las piezas vulnerables.

La Reina Blanca captura el Peón y, protegida por la Torre Blanca, da Jaque Mate al Rey Negro

> Siempre que se realice el Enroque habrá que estar alerta a los posibles ataques y hacer algunas jugadas defensivas. Y lo más importante, estar atentos a las jugadas que está planeando el contrario.

LA APERTURA: ASÍ EMPIEZA EL JUEGO

Quien Bien Empieza, Bien Acaba

En el **inicio** de la partida, los equipos se podrán **organizar** en diferentes posiciones.

Según sea la forma en que cada jugador **sitúe** sus piezas, se advertirá la **intención** de cada uno de los equipos y sus posibles **fuerzas o debilidades**.

Será entonces necesario:

- Planificar una estrategia de apertura.
- Formar defensas sólidas.
- No obstaculizar la salida de las piezas de ataque.
- Decidir si es mejor mantener una actitud ofensiva o defensiva según la situación del juego.

Procedimiento

Después de colocar **correctamente** el tablero y las piezas, dará comienzo el juego.

Primero moverá el equipo que por **sorteo** gane la salida. Para esto, uno de los jugadores ocultará una pieza **negra** y otra **blanca** en cada una de sus manos; el otro elegirá **una** de las manos, y si **acierta** su color, moverá primero; si se equivoca, comenzará el otro. Y recuerda que **sólo se hará un movimiento por cada turno**.

JUGUEMOS...

Los **Caballos** y los **Peones** son las únicas piezas que podrán avanzar en la primera jugada.

Los **Peones del Rey** y **de la Reina**, al moverse, despejarán los caminos para la **Reina** y los **Alfiles**.

No es conveniente mover más de **tres Peones** en el inicio de la partida porque es posible que obstaculicen la **salida** de las piezas o que **descuiden** las líneas defensivas.

Antes de hacer cualquier movimiento tendremos en cuenta...

• ¿Es atacado el escaque en donde voy a situar mi pieza?

• ¿Con qué objetivo realizo la jugada?

• Si llevo a cabo el movimiento pensado, ¿qué hará el rival?

> Debemos colocar los Peones de modo que presten apoyo a las otras piezas y a ellos mismos.

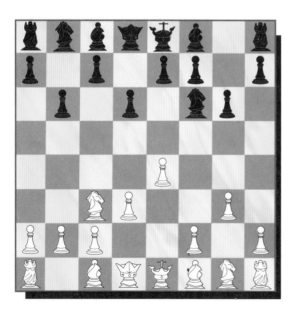

Si los Peones **centrales** se han movido, los caminos de los **Alfiles** estarán **vacíos** y su avance será posible.

Una buena situación es **delante** de la tercera fila, procurando siempre **atacar** las líneas del adversario.

El salto de los **Caballos** también permite su **movimiento** al comienzo de la partida. Si se colocan hacia **el centro** del tablero, **dominarán** más escaques y serán **útiles** para la defensa.

Cuando se hayan **eliminado** algunas Piezas del tablero y **el campo** de acción esté despejado, será el momento de **dar paso** a la Reina. Es importante mantenerla **atacando**, pero se debe mover con **precaución**. Si se sitúa hacia el **centro** del tablero, **dominará** más escaques y será útil atacando y defendiendo **a la vez**.

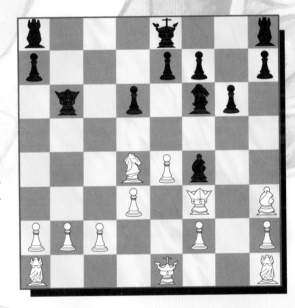

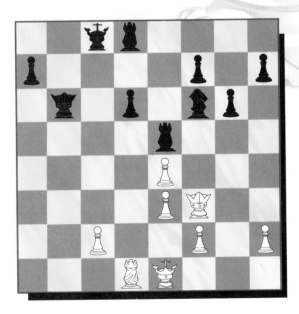

Las **Torres**, por su posición de **partida**, son las **últimas** piezas en salir. Una de las formas de abrir su camino es el **Enroque**. Si las Torres se sitúan en el **centro** del tablero, controlan las **dos columnas** más importantes **impidiendo** la colocación de las piezas rivales.

TEORÍA Y PRÁCTICA DE LOS CAMBIOS

Valora tus Piezas y Decide Si Cambias o No

Los Cambios son **movimientos** en los que se **pierde** una pieza con la intención de **capturar** otra de igual o mayor valor.

Para realizar un cambio, lo primero es hacer una **valoración** de las piezas dependiendo de su campo de **acción**.

EJERCICIO PRÁCTICO 15

• ¿Qué cambios se producen si jugamos con las blancas?

• ¿Y si jugamos con las negras?

(Véase pág. 94)

El **Peón** es la pieza de **menor valor**, puesto que su campo de acción es de **tres** escaques y su probabilidad de captura se reduce a **dos** escaques.

El **Alfil** es quinto en la escala de valor. Tendrá, en el **centro** del tablero, **14 escaques** controlados, pero su poderío **disminuye** al acercarse a las **esquinas** o al estar **obstaculizada** una de sus diagonales.

El campo de acción del **Caballo** es tan sólo de **8 escaques**, pero su capacidad de **saltar** impide que le cierren los caminos, haciéndolo muy útil para defender o atacar por **sorpresa**. Es **cuarto** en la escala de valor.

El campo de acción de la **Torre** es de **14 escaques** desde cualquier punto del tablero, siendo la **tercera** en importancia.

La pieza de mayor poderío es la **Reina**, siendo la que más escaques controla. Su **valor** se compara al de **una Torre más un Alfil**.

NO OLVIDES QUE...

El Rey es la pieza de mayor valor porque sin él se pierde la partida, por esto no entra en la posibilidad de cambio. Su campo de acción es apenas mayor que el del Peón.

Después de realizada la **apertura**, el juego entra en la etapa de **desarrollo**.

Los dos equipos se **enfrentan** y mediante las **capturas** tratarán de **mermar** el poderío del contrincante.

Las **Tácticas** o **estrategias** son tipos de **jugadas** que nos serán de gran utilidad.

Observemos las tres jugadas siguientes:

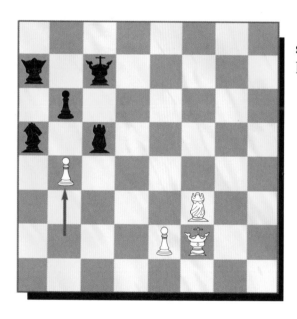

1. Sólo con un movimiento, se ataca a dos piezas, logrando la captura de una.

2. La Torre no puede mover porque dejaría en Jaque al Rey: su poderío ha sido neutralizado.

3. Con la pérdida de la Reina se logra distraer al contrincante provocando así el Jaque Mate.

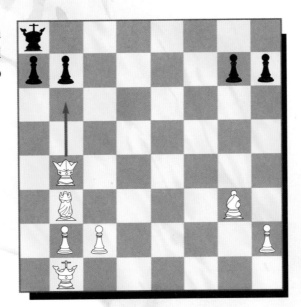

Éstas son sólo **tres** de las **siete tácticas** que nos permitirán lograr diferentes objetivos.

A continuación, vamos a desarrollar las restantes:

- ATAQUE Y DEFENSA
- TIJERAS
- CLAVADAS
- CELADAS

ATAQUE Y DEFENSA

¿Es el ataque la mejor defensa?

Según los **movimientos** de las piezas de cada equipo, se adoptan **posiciones** con actitud **ofensiva o defensiva**.

ATAQUE

Un equipo **ofensivo** basará sus movimientos en un ataque **continuo** hacia las piezas contrarias, de forma que capturando piezas **debilite** al equipo rival y al mismo tiempo no le permita llevar a cabo su **estrategia**.

Antes de realizar un **ataque o una captura** debemos pensar:

• El escaque que va a **ocupar** la pieza que realiza la captura **no** debe estar **atacado** por una pieza contraria.

• Si el escaque está atacado debemos **medir** la importancia de las piezas que serán capturadas, y decidir si la pieza que **perdemos** es de mayor o menor valor que la pieza **que perderá** el otro equipo.

> • Observemos las cuatro piezas implicadas en este ataque: los Caballos Blancos y la Reina y el Alfil del equipo contrario.

> **Antes de mover una pieza debemos asegurarnos de no estar retirando la protección a otra de nuestras piezas.**

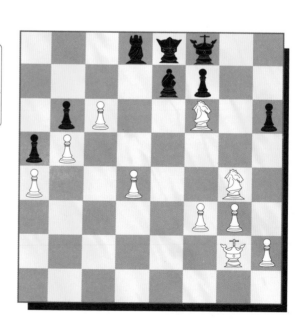

ATAQUE "A LA DESCUBIERTA"

Otra forma de **ataque** es el denominado "a la descubierta", y consiste en hacer una **ofensiva por sorpresa** atacando una o más piezas a la vez.

Durante el juego se darán varias **oportunidades** de realizar esta jugada, por lo que hay que estar alerta.

Se lleva a cabo **moviendo** una de nuestras piezas para dejar **libre** una línea de ataque que permita poner **en peligro** de captura **una** de las piezas del equipo contrario.

Estas jugadas se hacen con la **Reina**, el **Alfil** o la **Torre**. En algunas ocasiones los **ataques a la descubierta** pondrán en peligro **varias piezas** contrarias, obligando al rival a perder al menos **una de ellas**.

La Torre Negra avanza dos escaques permitiendo así el ataque a la descubierta por parte del Alfil Negro al Caballo Blanco.

DEFENSA

Por medio de una buena **colocación** defensiva del equipo se evita la **pérdida** innecesaria de piezas y se logra una eficaz **protección** del Rey.

¿Qué posibilidades hay de escapar a un ataque o captura?

Las posibilidades de **escapar** a un ataque y la consiguiente **captura** de alguna de nuestras piezas, son muy variadas. Además del **apoyo** y el **ataque a la mayor**, las acciones más inmediatas son:

- **Mover** la pieza y **salir** del escaque atacado.
- **Capturar** la pieza que se encuentra **atacando**.
- **Obstaculizar** con una pieza de menor valor la **línea** de ataque.

¿En qué consiste el apoyo?

El apoyo consiste en **proteger** la pieza atacada con otra de nuestras piezas, de forma que si la **primera** es capturada, entonces con la pieza de **apoyo** capturamos la que realizó el **ataque**.

Ejemplo de apoyo: el Peón Blanco avanza un escaque y, de esta forma, apoya al Caballo. Si el Alfil Negro captura al Caballo, el Peón capturará al Alfil.

¿Qué es el ataque a la mayor?

Otra forma de defensa es atacar una pieza de **mayor** valor; así el rival tendrá que **salvarla** y nos dará la oportunidad de **eludir** el ataque en el siguiente turno, como podemos ver en el tablero situado bajo estas líneas.

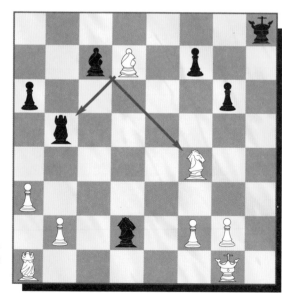

El Alfil Negro amenaza al Caballo Blanco. El equipo blanco, para evitar la captura, mueve su Alfil de forma que amenaza a la Torre Negra, es decir a una pieza de mayor valor. Ahora el equipo negro sabe que si captura al Caballo perderá su Torre.

Es importante mantener **protegidas** las piezas; para esto se deben conservar las **posiciones** de apoyo. Los **Caballos** y los **Peones** nos serán útiles para ese fin.

Los Peones son eficaces en la **defensa** para apoyar a piezas de mayor valor. Además al prestarse **apoyo** entre ellos estarán formando **líneas de defensa**.

Observemos, en el tablero de la izquierda, cómo se pueden formar líneas defensivas.

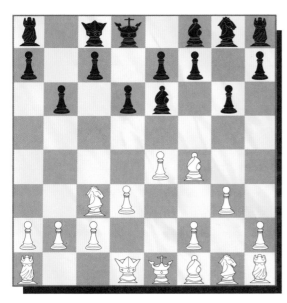

Los Caballos, por su tipo de **movimiento** y su particular campo de acción nos prestan este tipo de apoyo, con la **ventaja** de que no es posible **obstaculizar** sus caminos.

Por último, si se sitúan bien las piezas de mayor campo de **acción** (la Reina, la Torre, el Alfil), se logra dar apoyo a varias piezas a la vez.

Observemos cómo cada Peón está apoyado por otros de su mismo equipo y a la vez protegiendo a piezas de mayor valor.

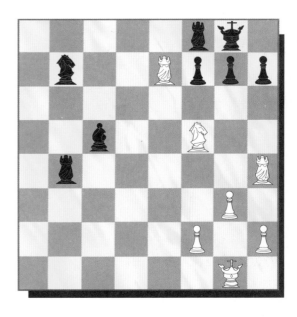

EJERCICIO PRÁCTICO 16

• ¿A qué piezas apoyan Torres, Alfiles y Caballos de cada equipo?

(Véase pág. 94)

TIJERAS, Un Ataque en Dos Frentes

Las **Tijeras** son una forma de ataque en la que se pone **en peligro** de captura dos o más piezas a la vez; por esto también se le llama **ataque doble**.

Se puede realizar con **todas** las piezas, incluso con el Rey, pero no es conveniente **arriesgarlo**.

En el caso de los Peones consiste en colocar a **uno** de ellos, apoyado por otro, **en medio** de dos piezas del equipo rival…

…el equipo atacado no tendrá otra opción que la de perder una de sus piezas.

> Las Tijeras hacia tres o cuatro piezas no se presentan en muchas ocasiones, a diferencia de los ataques a dos piezas, que son más frecuentes.

Con la Reina, la Torre, el Alfil y el Caballo se pueden hacer Tijeras a dos o más piezas.

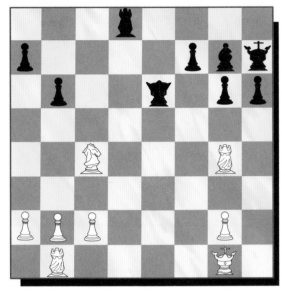

EJERCICIO PRÁCTICO 17

• ¿A qué piezas ataca la Reina Negra?

• ¿A cuántas piezas ataca la Torre Negra?

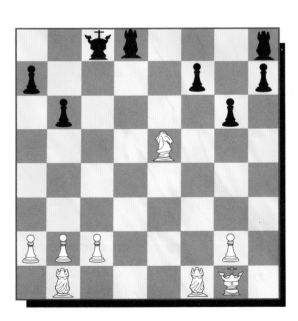

• ¿En qué escaque se debe situar el Caballo Blanco para atacar nuevamente con Tijeras?

(Véase pág. 95)

CLAVADAS. ¡Pieza clavada, pieza Inmovilizada!

Las clavadas son piezas que, por estar **obstaculizando** el ataque dado a una pieza de mayor valor, quedan **inmovilizadas**.

Si el Caballo Blanco se moviera, provocaría la captura de su Reina por parte de la Torre Negra. Por eso no conviene que el Caballo se mueva. ¡Está clavado!

Si la pieza protegida es el Rey, será **imposible** moverla porque dejaría en **Jaque** al Rey.

Si la pieza **protegida** es la Reina, el Alfil, o cualquier otra, se podrá entonces **mover** la pieza clavada pero esto **no** será una buena jugada porque **perderemos** la pieza atacada.

Una pieza clavada queda prácticamente **anulada** dentro del juego, por lo se debe "desclavar" lo **antes** posible.

La forma de **salir** de esta situación es atacar a la pieza atacante, obligándola a **moverse**.

Las Clavadas también se pueden utilizar para **atacar** al equipo contrario.

La Reina, la Torre y el Alfil son las **únicas** que pueden causar este ataque.

El Alfil Blanco ha avanzado hasta quedarse en posición de ataque respecto a la Torre. Ésta debe moverse para evitar ser capturada. He aquí la fórmula para desclavar al Caballo.

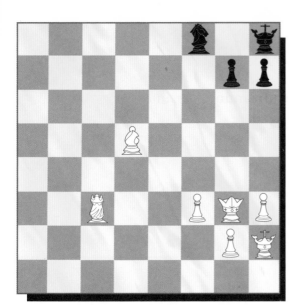

EJERCICIO PRÁCTICO 18

• Si mueven las blancas, ¿cuál de ellas puede provocar una Clavada?

• ¿Cuál de las piezas negras está Clavada y cómo puede salir de este ataque?

(Véase pág. 95)

CELADAS. TRAMPAS LEGALES

Éstas son jugadas en las que se busca distraer la **atención** del rival con el fin de capturar una pieza de mayor **valor** o de **provocar** el Jaque Mate.

Las Celadas necesitan **sacrificar** una de las piezas con la intención de capturar **otra** de mayor valor.

Observemos cómo se desarrolla esta Celada.

> **Las celadas son eficaces cuando el rival cae en la trampa. Pero si se descubre la intención ¡podemos salir perdiendo!**

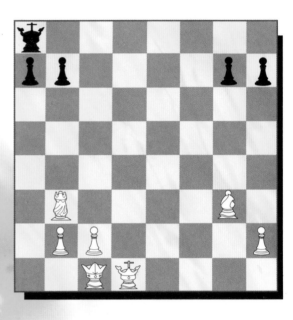

La Torre Blanca avanza tres escaques y se coloca delante de los Peones negros.

El Peón Negro captura la Torre, pero deja al descubierto al Rey.

En el momento de provocar un Jaque o un Jaque Mate, las celadas serán de gran utilidad.

• El jugador rival puede tendernos una Celada, por lo que debemos estar muy atentos. Observemos lo que ocurre en el tablero.

Si la Reina Blanca mueve dos escaques a la izquierda y ataca al Rey por la columna descubierta, dará Jaque Mate.

¿CÓMO SE HACE LA ANOTACIÓN?
EL MEJOR CONTROL DE LAS JUGADAS

Para seguir el **orden** de las jugadas hechas durante el desarrollo de la partida, se pueden anotar los **movimientos** de cada una de las piezas.

Existen **varias** formas de Anotación; la que mostramos es la más **usual**.

La Anotación se hará en **códigos** del sistema algebraico.

La jugada se anota en este orden:

- La letra inicial en mayúscula de la pieza que es movida (excepto el Peón).
- La letra de la columna por la que se desplaza la pieza.
- El número de la fila en el que se sitúa la pieza.

SÍMBOLOS
• **Rey:** .... R
• **Reina o Dama:** .... D
• **Torre:** .... T
• **Caballo:** C
• **Alfil:** .... A
• **Peón:** .... P

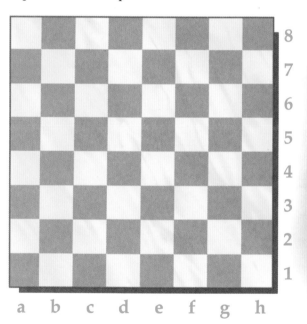

Como sabemos, las filas son **horizontales** y se nombran con números del 1 al 8 y las columnas, que son **verticales**, se nombran con las ocho primeras letras del alfabeto: a-h.

Los símbolos para describir la acción de las piezas son:
- Se desplaza a: –
- Captura: x
- Jaque: +
- Jaque Mate: ++
- Enroque corto: 00
- Enroque largo: 000

EJEMPLO PRÁCTICO

• Sigue las jugadas con tu tablero y observemos cómo se ha venido desarrollando este juego…

BLANCAS	NEGRAS
1. e4	e5

Los Peones del Rey. Columna e, se mueven dos escaques adelante.

2. C–c3	A–c5

El Caballo Blanco avanza a la columna c, fila 3. El Alfil Negro se adelanta, c5.

3. C–f3	C–c6

El Caballo Blanco salta hacia f3 y el Negro hacia c6.

4. C–a4	A–b4

El Caballo Blanco salta a4. El Alfil Negro se mueve a b4.

5. C–c5	AxCc5

El Caballo Blanco salta a c5. El Alfil Negro captura al caballo blanco.

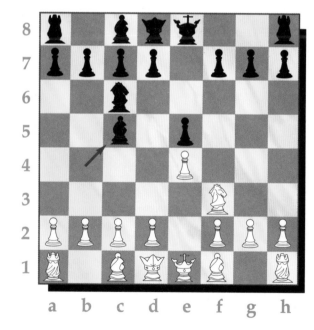

Así se va desarrollando la partida.

• Sigamos las jugadas hasta el Jaque Mate:

BLANCAS	NEGRAS
6. A–c4	d6
7. 00	C–b4
8. CxP–e5	PxC
9. T–e1	D–h4
10. D–h5	AxP +
11. R–h1	A–g3
12. T–e3	DxP + +

JAQUES Y MATES

¡CUIDADO CON EL REY!

El Jaque avisa el peligro de **inmovilización** del Rey, pero **no siempre** llegará a convertirse en Jaque Mate. El jugador atacado advertirá el peligro en que se encuentra y tratará de **anular** o **escapar** de esta ofensiva.

En las jugadas de Ajedrez es posible encontrar tantas **combinaciones** como se quiera, también para este tipo de ataque; pero será imposible realizarlo con una sola pieza, aunque ésta sea la Reina. Siempre se debe contar con **más de dos** piezas.

La forma de provocar el Jaque Mate es **encerrando** al Rey. Si éste se encuentra en una zona **central** o muy despejada, será necesario obligarlo a moverse hacia las **esquinas** y **bordes** del tablero, en donde su campo de **acción** se reducirá.

No olvidemos que el Rey **también** puede ser encerrado por las piezas de su propio equipo.

> **¡Atención a las oportunidades de Jaques y Mates!**
> Se pueden presentar durante toda la partida,
> desde la primera jugada...

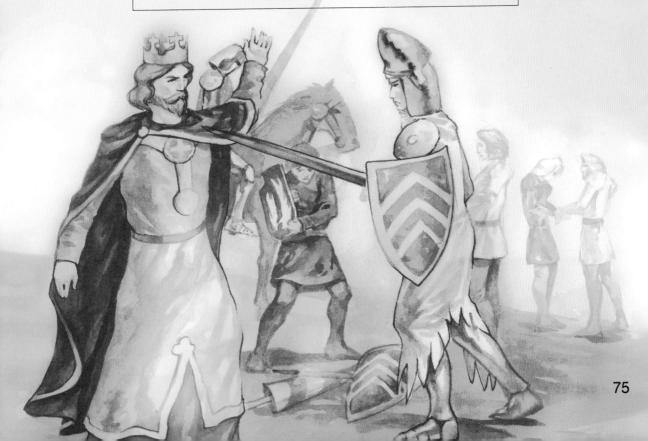

MATE DEL LOCO

Las Negras dan Mate en Dos Jugadas...

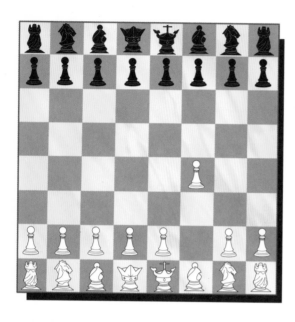

Comienzan las blancas. Al mover el Peón del Alfil despejan el camino para que la Reina Negra ataque al Rey.

Las negras abren el camino a su Reina.

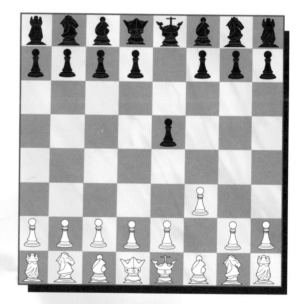

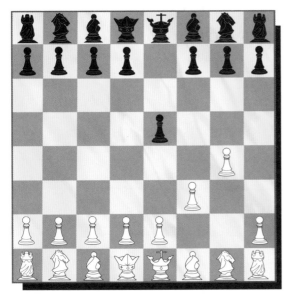

¡Las blancas adelantan el Peón del Caballo!
¡Siguen descuidando la diagonal de su Rey!

La Reina se sitúa en la diagonal de ataque, encerrando al Rey Blanco y provocando el Jaque Mate…

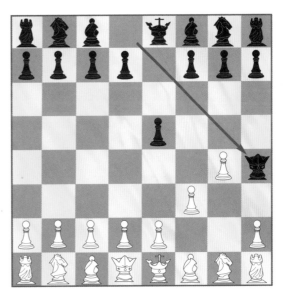

MATE DEL PASTOR

UN ATAQUE CONJUNTO DE REINA Y ALFIL

Para este ataque se emplean la Reina y el Alfil, y se lleva a cabo en los siguientes movimientos:

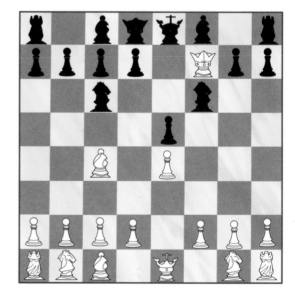

1. e2–e4   e7–e5
• Cada uno de los equipos adelanta sus Peones de Reina.

2. D–h5
• El Peón Negro e5 es atacado por la Reina blanca.
   Cb–c6
• El Caballo sale en defensa del Peón e-5.

3. A-c4
• Las blancas atacan con el Alfil.
   C-f6
• Las negras deciden alejar a la Reina atacándola, pero han caído en la trampa.

4. D3Pf7+ +
• La Reina Blanca captura al Peón Negro y apoyada por el Alfil consigue el Jaque Mate.

MATE AHOGADO
TRES MOVIMIENTOS DEL CABALLO NEGRO

1. c2-c4. Las blancas mueven su Peón de la columna c.

   Cb-c6. El Caballo Negro salta a c6.

2. e2-e3. El Peón Blanco del Rey avanza un escaque.

   Cb4. El Caballo Negro avanza a b4.

3. Cg-e2. El Caballo Blanco se coloca frente a su Rey.

   Cd3. El Caballo Negro se coloca en d3 dando Jaque Mate. El Rey Blanco está inmovilizado por sus propias piezas.

MATE DEL PASILLO

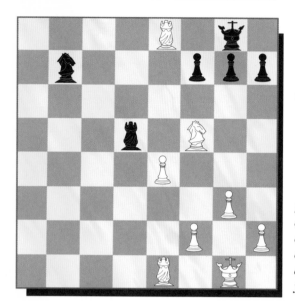

El campo de acción de Rey es **limitado** y hay un escaque que deja el camino **descubierto**.

¡Atención! Evitemos dejar al Rey encerrado en una fila o en una columna. Observemos cuán simple es producir un Jaque Mate cuando hay un "pasillo" que haga vulnerable al Rey. La Torre Blanca avanza hasta la fila 8 y da Jaque Mate.

MATE CON TORRE Y CABALLO

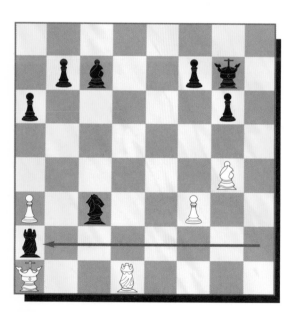

El Rey Blanco ha cometido un grave error, se ha quedado sin protección y además ha reducido su campo de acción. La Torre Negra sorprende atravesando el tablero horizontalmente y, con el apoyo del Caballo, da Jaque Mate al Rey.

MATE CON ALFIL Y CABALLO

El Rey Negro ha sido acorralado en una de las esquinas del tablero. Su campo de acción se limita, puesto que el Rey Blanco le cierra el paso hacia adelante y el Caballo le impide moverse a su izquierda. El Alfil ataca y da Jaque Mate.

MATE con ALFILES

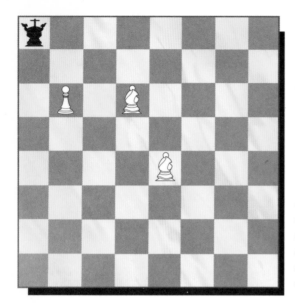

Recuerda: en las esquinas el Rey **pierde** su campo de acción.

De nuevo el Rey Negro ha reducido su campo de acción al colocarse en una de las esquinas. Con la ayuda de un peón, los alfiles consiguen el Jaque Mate. Uno lo da y otro impide la huida al escaque de al lado.

MATE con REY y uno de los CABALLOS

El Rey Blanco no puede moverse ni ocupar ninguno de los escaques de delante. El otro Rey le cierra el paso. El Caballo Negro no tiene más que saltar para acabar la partida. Jaque Mate.

MATE con las TORRES

En esta jugada **se obliga** al Rey a moverse hacia los **bordes** del tablero.

En esta jugada se empuja al Rey al borde del tablero. Con una Torre se le cierra el paso creando un "pasillo" y con la otra se le amenaza directamente.

MATE con REINA y REY

El Rey Blanco ha reducido su campo de acción al colocarse en una de las esquinas del tablero. La Reina Negra se sitúa en uno de los escaques inmediatos al Rey Blanco y, con el apoyo de su Rey, da Jaque Mate.

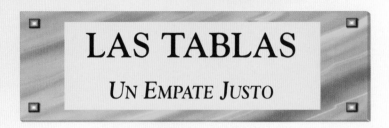

LAS TABLAS

Un Empate Justo

Si ninguno de los jugadores logra dar **Jaque Mate** a su adversario, se declaran **Tablas**; esto significa que la partida ha quedado empatada y que el juego ha finalizado. Las Tablas más **frecuentes** se dan cuando:

- Los dos equipos han perdido sus piezas más **poderosas** y con lo que les queda es imposible **provocar** el Jaque Mate.
- Cuando quedan **únicamente** los Reyes.
- Cuando uno de los jugadores no pueda **mover** ninguna de sus piezas y su Rey esté atrapado porque al moverse **quedaría** en Jaque, se dice que está ahogado y se declaran Tablas.

El Rey Negro avanza al escaque blanco. La Torre Blanca avanza hasta la fila 8. ¿Qué pieza puede mover el equipo negro? Ninguna. Los peones están bloqueados y no pueden avanzar. El Rey Negro no podría moverse a la fila dominada por la Torre Blanca ni capturar al Caballo Blanco porque quedaría en Jaque. En vista de que el equipo negro no puede mover ninguna pieza, se declaran Tablas.

El "Jaque eterno" consiste en hacer **ataque** en cada turno sin que el rival pueda salir de la situación. Entonces el jugador del equipo más debilitado **provoca** el "Jaque eterno" y podrá **pedir** Tablas.

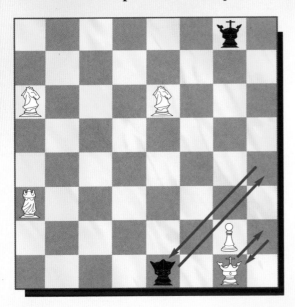

El Rey Blanco esquiva el Jaque avanzando al escaque negro. La Reina Negra responde moviéndose en diagonal para situarse de nuevo en posición de Jaque. El Rey Blanco retrocede a la posición anterior. La Reina Negra también. El equipo negro repetirá esta maniobra tantas veces como quiera para evitar que las blancas, con más efectivos sobre el tablero, puedan acorralarlo. De esta manera, el equipo negro provoca las Tablas y elude la derrota.

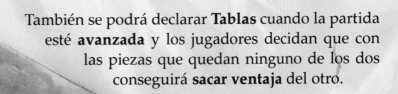

También se podrá declarar **Tablas** cuando la partida esté **avanzada** y los jugadores decidan que con las piezas que quedan ninguno de los dos conseguirá **sacar ventaja** del otro.

GLOSARIO

Ataque a la descubierta

Jugada sorpresa que consiste en liberar un camino o línea de ataque para facilitar una posible captura.

Cambios

Jugadas en las que se pierde una pieza con objeto de capturar otra enemiga de mayor valor.

Captura

Jugada en la que una pieza ocupa el escaque hasta ese momento ocupado por otra contraria. Ésta, al ser capturada, debe abandonar el tablero.

Captura al paso

Forma de captura que solamente le corresponde al Peón. Se realiza sobre los peones rivales, cuando éstos, en su primer movimiento, avanzan dos escaques para evitar ser capturados.

Celada

Jugada con que se distrae al contrario con el fin de capturar una pieza de gran valor, idear jugadas eficaces o bien procurar el Jaque Mate.

Clavada

Situación del juego en la que una pieza queda inmovilizada por estar obstaculizando el ataque a una pieza de mayor valor.

Columnas

Conjunto de escaques dispuestos en vertical.

Coronación

Jugada consistente en alcanzar un Peón la fila de partida del equipo contrario. Esto da derecho a reemplazar dicha pieza por otra de mayor valor.

Enroque

Jugada de tipo defensivo en la que se mueven dos piezas a la vez, el Rey y una de sus Torres. Sólo en esta jugada el Rey puede desplazarse más de un escaque en un movimiento.

GLOSARIO

Escaque

Cada uno de los cuadrados o casillas que componen el tablero de ajedrez. Están colocados de forma vertical y horizontal, de modo alternativo, uno blanco y otro negro, hasta completar 64.

Filas

Conjunto de escaques dispuestos horizontalmente.

Jaque

Jugada ofensiva en la que el Rey es amenazado directamente por una pieza contraria.

Jaque Mate

Jugada en la que el Rey es inmovilizado y derrotado, puesto que, hallándose en situación de Jaque, no le es posible a su equipo neutralizarla ni a éste colocarse en un escaque libre de amenazas. El Jaque Mate es el fin del juego del ajedrez y, consiguientemente, significa el final de la partida.

Tablas

Situación del juego en la que, ante la imposibilidad de derrotar ninguno de los dos participantes a su oponente, se declara el empate.

Tablero

Cuadrilátero formado por 64 escaques organizados en 8 filas (horizontales) y 8 columnas (verticales). De los 64, la mitad son blancos y la otra mitad negros.

Tijeras (ataques dobles)

Jugada en la que una pieza amenaza directamente a dos o más piezas contrarias a la vez.

SOLUCIONES A LOS EJERCICIOS PRÁCTICOS

1. (p. 22)

- Cualquiera de los dos peones blancos puede capturar cualquiera de los dos peones negros situados en la parte superior del tablero, por encontrarse éstos en el escaque diagonal contiguo.
- Cualquiera de los dos peones negros puede capturar cualquiera de los dos peones blancos situados en la parte superior del tablero, por encontrarse éstos en el escaque diagonal contiguo.

2. (p. 27)

- El alfil negro central puede capturar al peón blanco situado dos escaques negros hacia abajo en diagonal. El alfil negro del escaque blanco inferior, puede capturar al caballo blanco situado en el primer escaque blanco superior izquierdo del tablero y al peón que ocupa el primer escaque en diagonal.
- El único alfil blanco que hay puede capturar al caballo negro situado tres escaques negros hacia arriba en diagonal.

3. (p. 30)

- El caballo blanco de la izquierda puede capturar la torre negra. El de la derecha puede capturar la reina.
- El caballo negro situado en el centro del tablero puede capturar al alfil blanco. El otro caballo negro puede capturar el mismo alfil blanco y la reina.

4. (p. 31)

- Ocho escaques blancos.

5. (p. 31)

- Deberá moverse dos escaques a la derecha y uno hacia abajo.
- Deberá moverse dos escaques hacia arriba y un escaque hacia la izquierda.

6. (p. 34)

- Al alfil negro y al peón negro situados en las columnas de los extremos, y también a la reina y al rey
- Al alfil blanco, entre ellos y al rey.

7. (p. 35)

- La más adelantada a los dos peones negros situados a ambos lados, en la misma línea horizontal de escaques. La otra al alfil que está en su misma columna.
- La torre negra de la izquierda captura al caballo blanco.

SOLUCIONES A LOS EJERCICIOS PRÁCTICOS

8. (p. 38)

- Al alfil blanco.

9. (p. 39)

- A los dos peones blancos situados a ambos lados en la misma línea horizontal de escaques, al caballo y a la torre.

10. (p. 40)

- A la torre, a dos peones y al caballo.
- A la torre y al alfil.

11. (p. 45)

- Al peón y al caballo blancos situados en los escaques contiguos.

12. (p. 46)

- Al alfil, a la torre y al peón contiguos.

13. (p. 50)

- Moverse hacia la derecha, situar la reina entre él y el alfil blanco, o que el peón más cercano a la reina avance dos casillas.

14. (p. 51)

- En el tablero de la izquierda, ya que podemos hacer jaque mate desplazando la torre blanca desde el extremo inferior del tablero hasta el extremo superior.

15. (p. 58)

- Situándonos en el centro del tablero, si capturamos el caballo negro, el peón negro capturará nuestro caballo blanco. Si capturamos el peón negro situado en la línea blanca diagonal de escaques del alfil blanco, el rey negro podrá capturar el alfil blanco. Si el caballo blanco captura al peón negro, la reina negra hará lo propio con éste.
- Si capturamos el caballo blanco con la reina negra o con el caballo negro, el peón blanco de la casilla diagonal contigua podrá capturar cualquiera de las dos piezas negras que hayamos movido. Si el caballo captura al alfil blanco, el peón situado en su diagonal inferior capturará a éste; si el caballo captura al peón situado en la columna 3, la reina capturará al caballo.

SOLUCIONES A LOS EJERCICIOS PRÁCTICOS

16. (p. 65)
- En el extremo superior del tablero, la torre negra apoya al peón negro amenazado por la torre blanca. La otra torre negra apoya al caballo negro amenazado también por la misma torre blanca. El alfil negro apoya a la torre negra situada en el centro del tablero y amenazada por la torre blanca situada en su misma línea horizontal de escaques.
- El caballo blanco apoya a la torre blanca situada en la parte superior del tablero, y amenazada por el alfil negro, también apoya a la torre blanca situada a su derecha y amenazada por la torre negra. El peón blanco apoya a la torre blanca situada en la casilla contigua, y amenazada por la torre negra. El rey blanco apoya al peón blanco situado en la casilla contigua diagonal izquierda, y amenazado también por el alfil negro.

17. (p. 67)
- Al caballo y a la torre blancos.
- Al caballo y al alfil blancos.
- Deberá moverse dos escaques hacia la izquierda y uno hacia arriba

18. (p. 69)
- La torre blanca, si se sitúa en el escaque blanco del extremo superior del tablero, porque inmovilizará al caballo, que no podrá moverse si quiere proteger al rey.
- El alfil. La manera de salir es adelantando el rey negro hacia el escaque izquierdo en diagonal, para que así pueda proteger al alfil negro del ataque de la torre blanca, que es la que provoca la clavada.